KB096213

저자 소개

고려대 국제대학원 국제 개발 협력 전공 권예니입니다.

13세 때부터 캐나다 국제학교서 19세 때까지 생활하며 IB를 이수하였고,
Oregon State University서 국제 정치를 중심으로 공부하였습니다.

서양 문화권에서 성장해온 나, 그리고 한국 문화권에서 성장해온 아빠
사이의 기나긴 갈등이 있었지만 결국 내 자존감의 원천지인 그를
사랑하는 나입니다.

가족과 떨어져 있을 때 생각나는 아빠의 야식 요리들을 먹으며 나눈 뜻
깊은 대화들을 소개할게요.

아빠 "띵언"집

발 행 | 2024년 5월 16일

저 자 | 권예니

펴낸이 | 한건희

펴낸곳 | 주식회사, 부크크

출판사등록 | 2014.07.15(제2014-16호)

주 소 | 선물시, 금천구 가산디지털1로 119, SK트윈타워 A동 305호

전 화 | 1670- 8316

이메일 | info@bookk.co.kr

ISBN | 979-11-410-8528-5

www.bookk.co.kr

헌법도 계속 바뀌고 기술도 계속 바뀐다.

이 세상에 그 무엇도 단 한 번을 완성된 적이 없다.

당신의 부모가 완성된 인간형이라 믿고 무조건적으로 따르는 것은 인간들만의 어리석음이다.

.
.
.

어렸을 때는 그렇게 미워하고 다투던 아빠도 다 커서 보니 나와 같은 여린 생물체였다.

내가 키가 크고 머리가 크다고 다 큰 것이 아니였고,

우리 아빠도 환갑을 바라보고 있지만 다 큰 것이 아니었다.

그래도 나는 한 치의 어리석음 없이 과감히 말 할 수 있다.

아빠와 나는 서로를 바라보며 천천히 매일을 성장하고 있다.

.
.

편견 덩어리인 세상 속에서

흔들리지 않고 피는 꽃이 어디 있으랴,

흔들려도 괜찮다고 용기를 주는 아빠,

내가 꽃 피울 수 있게 영양을 주는 아빠,

영양이 없을 때는 피땀이라도 흘려 내주는 아빠.

.

내 인생에서 가장 큰 빛과 빚, 아빠와 아빠의 명언들을 세상에
보여주고 싶어요.

2024년 어느 봄날.

딸 권예니가.

〈목차〉

아빠's 띵언s

1. 밖에 나가서 작은 그릇이 아닌, 큰 그릇이 되라고 하는 것이다.

2. 무슨 대학이든 직업이든, 성취의 결과가 있다면 그게 자랑거리다.

3. 그 쉬운 진리를 깨닫는 데에 왜 이렇게 긴 시간이 걸렸을까.

4. 부모가 일을 하고 돌아왔을 때 그들의 발걸음을 진심으로 반겨주어라.

5. 사람이라는 게 아주 작은 말에도 상처를 받는다.

6. 크기가 작다고 그를 향한 사랑이 작을 수는 없다.

7. 강한 사람을 보고 약한 사람이 되는 것은 진정한 약자의 비겁함이다.

8. 가까운 사람일수록 더 인내하고 선한 모습을 보여라.

9. 역시 용서는 자유로운 영혼의 것이다.

10. 잘 몰라서 실수한 사람을 비하하는 것은 어리석은 행동이다.

11. 존중이 없는 표현은 폭력이다.

12. 내가 얻은 게 많았다면 분명 잃은 것도 많을 것이다.

13. 함께 일하는 사람들을 진심으로 사랑해라.

14. 그래도 나아지지 않는다면 그 때 선을 그을지 말지 다짐해도 전혀 늦지 않는다.

15. 굳이 똥을 밟은 자리에 머물러 있지 마라.

16. 본인의 몸을 함부로 대하는 것이 당신의 부모에게 저지를 수 있는
    최악의 죄이다.

〈아빠는 요리사〉

이것은 가장 큰 명언이 아니지 싶다.

아빠가 똑똑한 것은 맞지만 요리 자체를 요리사처럼 안 할 수도
있다.
그게 핵심이 아니다.
내가 누구를 필요로 할 때 그 누군가가 아빠인 것이 정말 큰
축복이다.

아빠가 내게 요리를 해 줄 때 마다
"나는 인복이 타고난 사람이구나."
라고 느끼는 것이 핵심이다.

아빠가 야식 요리를 해준다는 것은 아빠의 소중한 잠과 시간을
희생한다는 것이니까.
쓸 데 없는 말을 싫어하는 아빠가 내 얘기를 후루룩 쩝쩝 듣고만
있는 다는 것은
아빠의 체력보다 내가 더 소중하다는 것이니까.

이 작은 그릇은 참 큰 그릇이다.

열정

사랑

이해

배려

존중

내가 사회에서 바라지만 바라는 만큼 받지 못한 모든 것들이
들어가 있으니까.

나는 적어도 부모의 사랑을 듬뿍 받고 자라니까.

<u>밖에 나가서 작은 그릇이 아닌, 큰 그릇이 되라고 하는 것이다.</u>

아빠의 요리는 천재적이다.

〈세상을 멀리 넓게 보아라〉

사실 내 주변 머리 좋은 인간들은 하버드대, 예일대를 갔다 온다.
서울대를 졸업했다고 해서 그 인간 자체가 자랑거리는 아니다.
무슨 대학이든 직업이든, 성취의 결과가 있다면 그게 자랑거리다.

늘 우물 밖에서 생각해라.

내가 국내대학 입학을 전혀 고려하지 않고 미국대학을 두 군데
졸업한 것은 신의 한 수이다.
사실 공부에 전혀 흥미가 없어서 나는 대학원까지 갈 생각은
죽어도 없었다.
내가 한국 주입식 교육을 기피하고 표현의 자유가 보장된
교육권에서 학위를 따는 것이 나에게 맞는 길이었다.
표현을 하면 할수록 나는 공부가 좋아졌고 연구자가 되고
싶어졌다.

우리 아빠가 세상을 멀리서가 아닌 가까이서 보라고 했다면 어찌
됐을까.

나는 서울대를 가지 못했다고 그리고 의대를 가지 못했다고
"타이틀"이라는 감옥에 나를 가둬 놓은 채 사람들 눈치만 보며
살았을 것이다.

멀리서 보아 아름다운 게 참된 인생이다.

가까이서 보면 가까이 있는 사람들과 비교하게 된다.

멀리서 보았을 때 비로소

내가 건강하고
행복하고
내가 하고 싶은 걸 하고
하고 싶은 말을 하고
먹고 싶은 걸 먹고
좋은 사람과 함께 하는 것
사람도 싫으면 좋은 동물과 함께 하는 것.

남들이 쫓는 걸 무작정 쫓지 않는 그런 삶이 지혜로운 삶이다.

〈나한테 가장 1순위는 가족이다〉

최근에 아빠에게서 듣게 된 말.

늘 나에게 얘기했지만 내가 귀담아 듣지 않았던 말.

무슨 말이든 제대로 들어야 그 사람이 제대로 보이는 법.

내가 누리는 모든 것들

가정의 안락함

높은 성취열과 학구열

작은 것을 소중히 여기는 나의 능력

무례함을 용서하고 넘어갈 수 있는 대범함

날 사랑하지 않는 것들을 사랑한다고 할 수 있는 용기

새로운 물, 전력, 음식, 옷을 사용할 수 있는 축복된 삶

이 모든 것들이 아빠가 내게 남긴 선물들인걸.

<u>그 쉬운 진리를 깨닫는 데에 왜 이렇게 긴 시간이 걸렸을까.</u>

〈부모가 외출할 때는 나와서 인사해라〉

한창 사춘기였을 때.

아빠가 우리에게 매일 하던 말이다.

내 사춘기는 너무 일찍 시작해 너무 늦게 끝났다.

나는 하나도 힘들지 않았는데

그 말은 우리 엄마 아빠가 그 만큼 힘들었다는 거겠지…?

힘들어도 모든 걸 참고 받아주어서 내게 그 어떤 압박도 오지

않았던걸까.

이제와서 보니 아빠가 고된 일정을 보내고 집에 들어와도 눈도 안

마주쳤던 내가 생각난다.

그 때 아빠는 무슨 생각을 하고 있었을까.

내가 얼마나 미웠을까.

아무런 이유 없는 반항과 방황을 하던 시기.

아빠가 나를 내쫓아버리지 않은 게 신기하다.

그 어떤 감정이 들어도

그 어떤 반항의 충동이 들어도

방에서 무얼 하고 있던 상관 없이

부모가 일을 하고 돌아왔을 때 그들의 발걸음을 진심으로

반겨주어라.

그것이 인간의 도리다.

촐랑 촐랑 달려오는 집 강아지들보다는 잘 해야지.

〈일기는 볼 때 마다 다르다〉

어제 쓴 일기, 분명 감동적이었는데
오늘 눈을 뜨고 다시 보니 정말 거지 같다.
일기라서 다행이다.

내가 올린 글들도 눈살을 찌푸리지 않고는 도저히 볼 수가 없다.

5년 전 신데렐라를 보고 생각했다.
왜 마차가 펌킨으로 변하지? 어떻게 그러지?
24살인 나는 이렇게 생각했다.
세상에 저런 왕자 따위는 없어. 사랑은 무슨 형태일까.

경험과 가치에 따라 이야기가 달라 보인다.
내가 누구냐에 따라 이야기도 다르게 써진다.

예전의 내가 봤던 세상이 지금과는 너무나 다르다.

일기를 지우개로 다시 지우고 쓸 필요는 없지만
그게 사실인지 아닌지는 다시 생각해 볼 필요가 있다.

결국 인간은 왜곡의 동물이다.

사람의 말과 행동도 같다.
사람이라는 게 아주 작은 말에도 상처를 받는다.

아빠가 그랬다.
후회할 만한 말은 입 밖으로 뱉지 말라고.

내일이 되어야 보이는 진실들이 너를 기다리고 있으니.

〈햄스터도 소중히 대하라〉

내가 가장 아끼는 햄스터 옐리, 그녀가 죽었다.

날씨가 쨍쨍했는데도 비가 오는 것 같았다.

3년을 외로운 나와 내 방구석에서 함께했다.

눈에서도 그치지 않고 비가 왔다.

내가 어딜 가던 그녀가 나를 따라 왔다.

어디선가 밥 달라고 나를 부르는 것 같았다.

가족은 가족이다.

햄스터도 내 가족이다.

<u>크기가 작다고 그를 향한 사랑이 작을 수는 없다.</u>

아빠는 그걸 나에게 가르친 사람이다.

아빠는 분명 방에서 혼자 눈물을 훔쳤을 것이다.

아빠와 함께 애지중지 키운 두번째 햄스터, 토푸.

토푸에게 취선염이 생겼다.

아빠가 세 번이나 드레싱을 해주었다.

토푸를 본인 환자처럼 여기는 아빠의 떨리는 손길이 이뻐보였다.

〈강한 사람에게는 햄스터가 되지 마라〉

어릴 때 부터 생각했다.

보스한테 안절부절 아무 말도 못하는 인간들 좀 찌질해.

내 스타일 아니잖아.

우리 아빠도 그런 스타일은 아니었던 것이다.

부당한 걸 보았을 때 할말 똑부러지게 해야 한다.

강한 사람을 보고 약한 사람이 되는 것은 진정한 약자의
비겁함이다.

그렇게 하면 결국 누구에게도 사랑 받지 못한다.

너무 매력 없으니까.

약하게 나오면 착하게 보는 게 아니라 찌질이로 본다.

갑질하는 보스도 착한 부하들을 착하게 보는 게 아니라 더
갈군다.

당연한 거다.

그래서 나는 청와대에 상소문을 넣었다.

햄스터 시설이 너무 열악하다고.

대형마트에서 소동물 판매를 멈춰야 한다고.

개저씨들이 몸 관련 칭찬을 하면 나는 바로 신고 때린다.

칭찬인지 아닌지 조차도 약자의 입장에서 보는 것.

무엇이든 힘을 덜 가진 자의 입장에서 볼 수 있는 사람이 되자.

〈가까운 사람에게 가장 친절해라〉

우리 아빠는 나랑 성격이 정반대이다.

나는 가까운 상대일수록 말을 많이 하고 실수를 많이 한다.

사랑이라는 것은 상대의 모든 것을 이해하고 흡수하는 것이라

생각한다.

아빠는 가까운 사람에게 본인의 아픔을 내어놓지 못한다.

나는 그게 참 답답하다 생각했는데

지나고 보니 그게 더 어른이었다.

부정적인 에너지를 느낄 수도 없게 하는 것.

그래서 그 모든 짐을 다 짊어지려는 것.

그게 아빠의 가장 큰 헌신이 아닐까.

물론 단점은 그 어디에나 누구에게나 있다.

아빠가 속깊은 얘기를 안 하려 해서

아빠에 대한 오해들이 눈구덩이들처럼 커져만 갔다.

한 쪽의 말만 듣고 한 쪽에게만 친절을 베푸는 나랑

양 쪽의 말을 모두 들을 수 있을 때까지 인내하는 아빠랑은

클라스 차이가 크다.

<u>가까운 사람일수록 더 인내하고 선한 모습을 보여라.</u>

그래야 미안할 일이 없다.

〈용서할 자유〉

우리나라 대한민국은 일본의 식민지였다.
그래서 그런지 사람들에게 한이 참 많아보인다.
소리 낼 자유, 의상의 자유, 교육 받을 자유, 그 모든 자유들이
억압되었다고 한다.

자유가 많이 억압된 나라에서 그나마 가장 자유로워 보이는 건
우리 아빠다.

거의 신의 경지다.

아빠는 내가 그 어떤 말과 행동을 해도 "띵언"들을 통해서
가르침을 줄 뿐,
나의 자유를 감히 뺏어가지는 않았다.

여전히 아빠에게 따질 자유,

집에서 먹고 잘 수 있는 자유,

티비를 보며 아빠가 우울할 때도 눈치 없이 웃고 떠들 수 있는

자유,

내가 우울할 때면 아빠 있는 돈 없는 돈 탈탈 털어서 쇼핑하러

가서 아이스크림까지 먹을 수 있는 자유.

여전히 아빠의 딸로 살아갈 자유를 보장시켜준다.

<u>역시 용서는 자유로운 영혼의 것이다.</u>

〈선별적 용서〉

나는 모델링이 너무 좋다.

공부랑 모델링 중 하나만 선택한다면?

고민 끝에 모델링이다.

사진 작가들은 다양하다.

에이전시가 없는 작가들은 이상하게 조금 예민하다.

한 번은 인스타로 연락을 받아 작업을 함께 하기로 했는데 왕창

욕만 얻어 들었다.

나에게 전화로 한 시간 동안 욕을 했다.

중개자라는 말이 어려워 '브로커'라는 말을 썼는데 어떻게 감히

본인을 그렇게 칭하냐 소리쳤다.

교육을 못 받고 살았으면 책이라고 읽으라고 했다.

책 읽는데요…? 하니까 한국 책을 읽으라고 했다.

죄송합니다. 하니까 한국말을 못하면 하지를 말라고 했다.

왠지 평소에 쌓인 게 많은 것 같아서 끝까지 들어줬다.

사실…

잘 몰라서 실수한 사람을 비하하는 것은 어리석은 행동이다.

그 분은 본인의 어리석음에 제 분을 못 이겨 용서가 아닌 자발적 폭주를 택하셨다.

폭주로 인해 우리의 대화는 거기서 끝이 났다.

〈표현의 자유〉

<u>존중이 없는 표현은 폭력이다.</u>

팩트 폭력도 폭력이다.

이유는 간단하다.

그 사람을 다치게 하기 위해서 쓰는 팩트니까.

굳이 드러내지 않아도 되는 것들이 정말 많다.

드러내지 않으면 안되는 경우는

본인이 피해를 보았거나,

더 많은 피해자들이 생길 경우.

그 사람이 반성의 시간을 충분히 가졌고
과거와 지금의 모습이 확연히 다름에도 불구하고
그 사람의 감추고 싶은 속사정을 자꾸 들추는 것,

그건 훈육이 아닌 폭력이다.

훈육은 오로지 하나님만 할 수 있다.

〈동전의 양면〉

나는 영어가 훨씬 편하다.

편해도 너무 편하다.

그게 나의 반전이라면 반전이다.

이 짧은 책 하나를 쓰는데도 정말 긴 시간이 걸린다.

먼저 영어로 책을 쓴 다음, 한국말로 옮겨 적는다.

한국말이 훨씬 예쁘고 곱다.

그건 엄마 아빠가 나에게 한국말로 말을 해서일 수도 있다.

내가 구글 번역기와 친구가 된지는 꽤 되었지만

영어라는 세계 공용어를 누구보다 자연스럽게 할 수 있다는 점.

동전의 양면, 정학한 예시다.

하나를 얻으면 하나를 잃어야 한다.

그것에 준비돼 있어야 한다.

후회 하지 않는 삶.

강인한 사람의 몫이다.

내가 얻은 게 많았다면

분명 잃은 것도 많을 것이다.

인정하고 부끄럽게 여기지 않는 것.

나의 장단점을 확실히 파악하는 것.

내 어눌한 한국어 발음을 사람들이 얕보아도 그대로 사랑하는 것.

그건 천박해 보이는 게 아니라 강인한 것이다.

〈일과 사랑〉

아빠는 일과 사랑.

그 어려운 두 개를 동시에 하는 능력자다.

아빠는 집에서 돌아올 때 직장에서 받은 선물들을 가져온다.

표현이 소극적인 아빠의 입가에 뿌듯함과 감사함이 걸려 있다.

그리고 그 선물들을 우리에게 준다.

사랑스럽게 일한 댓가를 우리에게 사랑으로 베푼다.

간호사들이 아프면 진심으로 염려한다.

그런 아빠의 직장은 어떤 곳일까?

행복으로 가득할 것이다.

막연히 주변 사람들을 모두 사랑하는 것이 아닌,

함께 일하는 사람들을 진심으로 사랑해라.

그게 행복의 시작점이 아닐까.

〈사랑할수록 기회를 줘라〉

우리는 가까운 사이일수록 상처를 쉽게 받는다.

실수인 걸 알면서도

용서가 은근 어려운 게 사랑하는 이의 말과 행동이다.

신뢰가 큰 만큼 기대도 큰 법이다.

사랑하는 사람을 잃지 않는 법은 간단하다.

기회를 더 많이 줘라.

가족이 의도한 바와는 다르게 너에게 상처를 주었다면

부드러운 태도로 타협하여라.

너의 상처를 많은 이들이 공감하지 못할 가능성이 있다면

확실하게 이유를 말해주어라.

그리고 지켜보아라.

그래도 나아지지 않는다면 그 때 선을 그을지 말지 다짐해도 전혀 늦지 않는다.

아빠가 한 말이 이제는 나의 인생 교훈이 되었다.

내가 오랫동안 아끼고 사랑한 사람일수록

나의 작고 큰 상처를 그 사람의 책임으로 돌리기 보다는

내가 아픈 이유의 객관적 이유를 찾는 것에 더 몰두한다.

그 이유에는 주로 나의 예민함이나 트라우마가 자리 잡고

있으니까.

열린 대화를 시도하는 게 가장 좋은 방법이다.

피하기만 하다 피해망상으로 좋은 아군을 놓칠 수 있으니.

더 중요한 경우는 만에 하나 그게 망상이 아닐 경우다.

그래서 지켜보는 게 중요한 것이다.

좋은 사람인 척 하지만 의도적으로 남의 기분을 망치며 자존감을

채우는 나르시스트도 많다.

내가 그 사람에게 큰 가치가 없을 경우

그 사람은 절대 반성이라는 희생을 치르지 않을 것이다.

그러면 그 때 뒤 돌아보지 않고 떠나는 것이다.

가까운 사람이라고 해서 좋은 사람이라는 공식은 세상에 없다.

〈모든 사람의 눈 높이에 맞추지 마라〉

살다 보면 똥 밟는 일이 무수하다.
길 거리에서 아무 이유 없이 욕과 침을 뱉는 이들이 있고
나를 본 적 없는 인물들이 나를 끌어내리려 한다.

똥을 한 번 밟고 씻으면 그만.
<u>굳이 똥을 밟은 자리에 머물러 있지 마라.</u>

이 세상 모든 모질이들에게 하나 하나 대꾸하고 맞서 싸워줄 만큼
한가한 사람이 되지 마라.

집에 가서 똥을 씻고 내 할 일 하고
계속 행복하게 살면 끝.

우주에 먼지 만큼의 영향력도 없는 인물들을

굳이 힘 써서 내 인생에 끌어 들이지 말자.

이 세상 모든 마음 여린 소녀 소년들아

학교든 직장이든

시비 거는 사람을 보거든

웃지도 말고 따지지도 말고 울지도 마라.

함부로 시선을 주지도 마라.

그러면 다시는 너에게 함부로 하지 않을거다.

그냥 나중에 집에 가서

엄마랑 나란히 앉은 채로

맛있는 치즈 떡볶이 먹으며 드라마나 봐라.

〈밥은 세 끼 모두 잘 먹어라〉

효도 뭐 별 거 없다.

건강하게 잘 지내는 게 최고의 효도다.

부모님과 떨어져 대학 생활을 하던 중 38kg 저체중으로 몇 달간
고생했다.
키가 170이 넘는데 사람들이 보고 놀라 비명을 지를 정도로
앙상했다.
너무 오랫동안 굶어서 하루종일 먹어도 살이 안 올랐다.
엄마는 아직 그 아픔을 잊지 못했는지
내가 집에 온지 5개월이 다 되어가는데 삼시세끼 야식까지 다
차려준다.

가족 모두 얼마나 심장이 덜컥했는지
교회에서 매일 밤을 울면서 기도하며 보냈다고 한다.
그 이후로는 내가 그들의 생일을 챙겨주지 않거나 기념일을
깜빡해도 건강하게 살이 오른 모습으로 웃고 있는 모습만 보아도
내심 기뻐한다.

아프면 본인 몫이다.

그건 곁에 아무도 없는 사람 얘기이고

곁에 한 명이라도 있는 사람은

건강에 대한 더 막중한 책임을 느껴야 한다.

내가 아프면 우리 가족도 함께 아플 것이다.

내가 건강하면 우리 가족도 안심하고 잘 지낼 것이다.

그런 생각을 하고 본인의 몸을 더 소중히 다루자.

본인의 몸을 함부로 대하는 것이 당신의 부모에게 저지를 수 있는

최악의 죄이다.